MÈIRLEACH NAN SGEUL

Graham Carter

acair

B'e nighean rudeigin diùid a bh' ann an Eilidh. 'S ann ainneamh a dh'fhàgadh i an taigh, ach airson a dhol dhan leabharlann aig Bàgh Chragaidh còmhla ri h-athair a dh'fhaighinn leabhraichean air iasad. Bha MÒR-MHIANN aig Eilidh air leabhraichean.

Bha iad a' tilleadh dhachaigh bhon turas aca an uair a thuit aon leabhar a-mach dhan mhuir agus chaidh e

sìos,

sìos,

sìos,

a-mach à sealladh dhan dorchadas...

SPLOIS

far na dhùisg e creutair annasach.

Dè an rud àlainn a tha seo,
dh'fhaighnich an creutair
dha fhèin, agus dè bhios
tu a' dèanamh leis?

A chur umam?

Ithe?

A bhuaileadh?

Dh'fhairich e fàileadh tuilleadh de na rudan annasach seo, agus lean e iad gu barrachd eòlais fhaighinn.

Thug an t-slighe e gu solas deàlrach
gu h-àrd os cionn a' bhaile.
A-staigh chitheadh e tòrr
mòr a bharrachd de na
rudan annasach.
Bha gach aon cho prìseil
aig na daoine beaga.

'S ann a thog seo ùidh
na bu mhotha.

Ann an rùm Eilidh, b' e an t-àm a b' fheàrr leatha den latha a bh' ann:
àm leughaidh còmhla ri Dad. Dè a bhiodh annta a-nochd?
Spùinneadairean gun eagal? Lorgairean ainmeil? Taisgealaich dàna?

Fhad 's a bha a h-athair a' leughadh, bha an creutair dhan amharc.
Ghabh e iongnadh mu cho toilichte 's a rinn an rud àraid Eilidh.

DH'FHEUMADH e fhaighinn dha fhèin. Le sin, mar an dealanaich...

SPÌON!

Spìon e leabhar Eilidh bhochd. "Mèirleach sgeòil!" dh'èigh Eilidh.
Ach bha an creutair air toirt às na dheann.

Oidhche an dèidh oidhche thilleadh e,
gus na ghoid e gach leabhar anns a' bhaile.

Ghoid Mèirleach nan Sgeul leabhraichean fiù o na beathaichean eile:

bàrdachd bho bhuthaidean,

saobh-sgeulan bho shionnaich,

fiù leabhraichean còcaireachd
bho chrùbagan
(a bhios a' dèanamh bonnaich bhlasta).

Dh'fhàg uabhas goid nan leabhraichean
na h-eileanaich fiadhaich agus
troimh-chèile, ach cha robh duine treun
gu leòr gu càil a dhèanamh mu dheidhinn.

Ach Eilidh.

Bha an t-àm ann a h-uile càil a lorg i anns na sgeulachdan aice a chleachdadh.
Bhiodh i na spùinneadair-lorgaire-taisgealach a sìor shireadh
Mèirleach nan Sgeul agus gheibheadh i fhèin na leabhraichean gu lèir air ais.

Shìos san uamh aige, cha dèanadh Mèirleach nan Sge̶
a-mach carson a bha na rudan annasach seo
a' toirt toileachais dhan a h-uile duine.

Dh'fheuch e ri togail leotha.
Dh'fheuch e rin cuir air a cheann.

Dh'fheuch e fiù ri cadal orra
(agus abair droch mhearachd).

Fhad 's a bha Mèirleach nan Sgeul na shuidhe le bus air,
bha Eilidh a' seòladh na mara mar spùinneadair gun eagal.

Rannsaich i gach cùil is i mar lorgaire ainmeil,

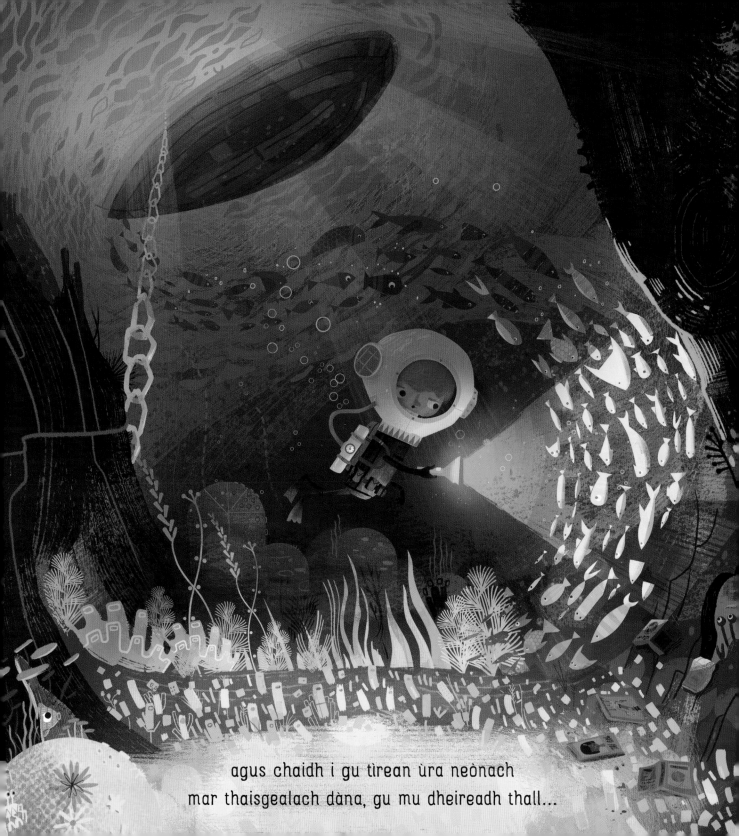

agus chaidh i gu tìrean ùra neònach
mar thaisgealach dàna, gu mu dheireadh thall...

LORG I NA LEABHRAICHEAN!

Bha dìreach aon dhuilgheadas ann... an t-ochd-chasach mòr.
Chuimhnich Eilidh air na gaisgich anns na sgeulachdan aice
agus thàinig misneachd thuice:
"Nach eil fhios agad gu bheil e ceàrr a bhith a' goid?
'S e rudan prìseil a th' ann an leabhraichean agus
na sgeulachdan aca dhan A H-UILE DUINE!"

Agus gu h-iongantach, 's ann a bha eagal aig a' mhèirlich BHUAIPSE!

Dh'fhairich Eilidh beagan truais ris.

"An toigh leat leabhraichean?" dh'fhaighnich i. Thug e sùil air oir a-mach bhon tiùrr leabhraichean far an robh e a' falach. "Tha mise CHO dèidheil air leughadh leabhraichean," thuirt Eilidh.

Thog i fear (am fear a chaidh air chall anns a' chiad àite) agus thòisich i a' leughadh.

Gu slaodach, thàinig Ochd-chasach nas fhaisge air Eilidh, gun ghuth aige air eagal fhad 's a leugh i sgeulachd an dèidh sgeulachd.

Bha e mar
DHRAOIDHEACHD!

Mu dheireadh thall, thuig Ochd-chasach cho prìseil 's a bha leabhraichean. Ciamar a gheibheadh e maitheanas bho mhuinntir a' bhaile?

Ach bha Eilidh deiseil le beachd.

Aig an taigh, cha robh fios aig na h-eileanaich am faiceadh iad
na leabhraichean prìseil aca tuilleadh, nuair a chuala iad fuaim àrd,
torghanach a' tighinn bhon mhuir.

"HAOIDH! LEABHRAICHEAN!"
dh'èigh Spùinneadair Eilidh, is long,
mhòr phrìseil a' tighinn gu tìr fo
stiùir Caiptean Ochd-chasach!

Leig na h-eileanaich èigh – bha na
leabhraichean àlainn aca air ais.

Nuair a mhìnich Eilidh dhaibh
carson a thug e leis iad agus
cho duilich 's a bha e,
dh'aontaich a h-uile
duine maitheanas a thoirt
don Ochd-chasach.

Bhon uairsin, bha
Ochd-chasach dòigheil
a' fuireach air an eilean.

Chuidich e le obraichean.
Dh'èist e ri sgeulachdan.

Fhuair e fiù ùine
airson clasaichean leughaidh
còmhla ri Eilidh.

Agus mar bu mhotha a leugh e, 's ann bu mhotha
a dh'fhàs a bheachdan. Mu dheireadh thall, bha Eilidh agus
Ochd-chasach deiseil an smuain aca innse dhan a h-uile duine...

An long-sgeòil! Bhiodh daoine a' tighinn bho thall
's a bhos a dh'èisteachd rin cuairtean-dàna.

Cha b' e Mèirleach nan Sgeul a bh' ann an
Ochd-chasach tuilleadh ach Sgeulaiche –
am fear a b' fheàrr a bha RIAMH ann.

Do Noah & Fin

Cuideachd le Graham Carter:
Otto Blotter, Bird Spotter

A' chiad fhoillseachadh sa Bheurla an 2021 le Andersen Press Earr,
20 Vauxhall Bridge Road, Lunnainn, SW1V 2SA, UK
Vijverlaan 48, 3062 HL Rotterdam, Nederland
© Graham Carter 2021

Tha Graham Carter a' dleasadh na còraichean a bhith air an aithneachadh mar
ùghdar agus neach-deilbh na h-obrach seo a rèir Achd Dlighe-sgrìobhaidh,
Dealbhachaidh agus Chòrach 1988.

1 3 5 7 9 10 8 6 4 2

A' chiad fhoillseachadh sa Ghàidhlig 2022 le Acair, An Tosgan,
Rathad Shìophoirt, Steòrnabhagh, Eilean Leòdhais HS1 2SD

info@acairbooks.com   www.acairbooks.com

© an teacsa Ghàidhlig Acair 2022
An dealbhachadh sa Ghàidhlig Mairead Anna NicLeòid

Tha Acair a' faighinn taic bho Bhòrd na Gàidhlig

Gheibhear clàr catalog CIP airson an leabhair seo
ann an Leabharlann Bhreatainn

Clò-bhuailte ann na h-Innseachan

LAGE/ISBN 978-1-78907-115-3